C000010479

SOL *y* LUNA - BIBLIOTECA DE SIGNOS

Acuario

21 DE ENERO - 18 DE FEBRERO

JULIA Y DEREK PARKER

Fotografía: Monique le Luhandre
Ilustraciones: Danuta Mayer

GRUPO EDITORIAL PLANETA
España, México, Colombia, Argentina

UN LIBRO DORLING KINDERSLEY

Dedicado a Ann Bronkhorst

Editor **Tom Fraser**/Editor de arte **Ursula Dawson**/Productor editorial **Krystyna Mayer**/Productor de arte **Derek Coombes**/Producción **Anthony Heller**

Diagramación: Patrizio Semproni. Composición: Fabiana Riancho. Traducción al castellano: Patricia Fanjul. Fotografía: pág. 11 Museo Británico-Biblioteca de Arte Bridgeman, Londres; pág. 16 Tim Ridley. Estilista: págs. 28-29 Lucy Elworthy. Ilustraciones: págs. 60-61 Kuo Kang Chen. Ilustración de cubierta: Peter Lawman. Agradecemos a Carolyn Lancaster y John Filbey.

Publicado en Gran Bretaña en 1992 por Dorling Kindersley Limited, London WC2E 8PS

Título del original en inglés:
THE LITTLE SUN AND MOON SIGNS LIBRARY
Aquarius

Reproducido por GRB Editrice, Verona, Italia
Impreso y encuadernado en Hong Kong por Imago

Segunda edición: diciembre de 1994

CONTENIDO

Presentación 8

PRESENTACIÓN
ACUARIO

EL SIGNO DEL AGUA PURA ES EL DÉCIMO
PRIMER SIGNO DEL ZODÍACO.
LOS ACUARIANOS SON ENIGMÁTICOS,
INDIVIDUALES E INDEPENDIENTES.

La gente de este signo solar siente un poderoso deseo de un modo de vida único y son a veces tan devotos de ello y tan dedicados a conseguir su independencia, que les es algo difícil comprometerse en relaciones permanentes. A veces, tal relación puede llegar algo tarde a la vida de un acuariano.

Grupos tradicionales
En este libro se hace referencia a tres grupos: el grupo de elementos, el grupo de cualidades, y el de signos positivos y negativos, o masculinos o femeninos. El grupo de los elementos comprende signos de fuego, tierra, aire y agua. El de las cualidades, divide el Zodíaco en signos cardinales, fijos y mutables. El último grupo abarca signos positivos y negativos, o masculinos y femeninos. Cada

signo del Zodíaco se asocia con una combinación de componentes de estos grupos, que le aportan diferentes características.

Características de Acuario
La gente de este signo tiende a ser intelectual y dado que el signo es de cualidad fija, también pueden ser sorprendentemente testarudos.

Urano es su planeta regente, y muchos acuarianos imponen tendencias y son líderes de su generación. Quizás a causa de su cualidad fija, pueden a veces quedar un poco detenidos en las opiniones que se forman de jóvenes y como apartarse de las formas de pensar corrientes.

Dado que es un signo positivo, masculino, Acuario inclina a sus nativos a la extroversión.

Se considera que los colores acuarianos son el azul eléctrico y el turquesa.

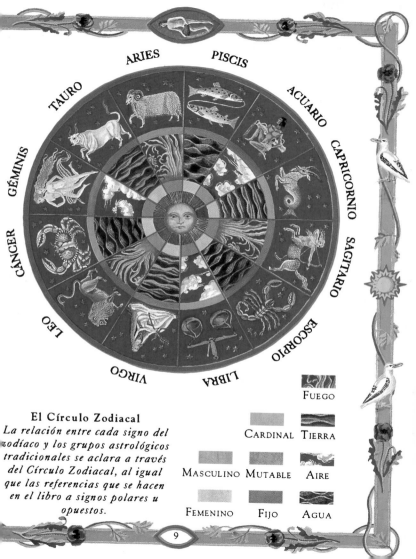

ARIES · **PISCIS** · **TAURO** · **ACUARIO** · **GÉMINIS** · **CAPRICORNIO** · **CÁNCER** · **SAGITARIO** · **LEO** · **ESCORPIO** · **VIRGO** · **LIBRA**

El Círculo Zodiacal

La relación entre cada signo del zodíaco y los grupos astrológicos tradicionales se aclara a través del Círculo Zodiacal, al igual que las referencias que se hacen en el libro a signos polares u opuestos.

FUEGO

CARDINAL **TIERRA**

MASCULINO **MUTABLE** **AIRE**

FEMENINO **FIJO** **AGUA**

9

ACUARIO
MITOS Y LEYENDAS

EL ZODÍACO, DEL CUAL SE DICE QUE TUVO ORIGEN EN
BABILONIA 2500 AÑOS ATRÁS, ES UN CÍRCULO DE
CONSTELACIONES A TRAVÉS DEL CUAL EL SOL SE
DESPLAZA EN EL TRANSCURSO DE UN AÑO.

Acuario ¿era originalmente hombre o mujer? El nombre babilónico de Acuario, Go La, ha sido traducido como "diosa de la niñez y la salud", y también como "constelación del gran hombre". Se cree que el segundo hace referencia al gigante Enkidu, descripto en la antigua epopeya de Gilgamesh como un hombre que había crecido en el desierto entre las bestias salvajes, que se hicieron sus amigas. Dedicaba su tiempo a proteger a los animales y a veces se lo muestra dándole agua a un buey.

El dios del agua fresca
En la antigua Babilonia también había un dios del agua fresca llamado Ea, conocido como "el dios con arroyos" o "casa del agua", de quien se decía que vivía en la ciudad de Eridu, en el Golfo Pérsico. Normalmente está pintado con un arroyo que brota de sus brazos y manos, pero a veces se lo muestra sosteniendo un cántaro. Esta parece ser la figura más apropiada de Acuario. Más tarde los antiguos egipcios asociaron pictóricamente a la constelación de Acuario con el dios Hapi, que regaba el suelo con dos cántaros y era un símbolo del río Nilo.

Zeus y Ganímedes
Manilio, el escritor romano que en el siglo I a.C. estableció varios mitos astrológicos, sostenía firmemente que el Acuario original era Ganímedes, el hijo de Tros, rey de Troya. Se refiere a lo mitos griegos más lejanos, según los cuales Ganímedes mojaba la Tierra con las lluvias.

El mito original de Ganímedes lo describe como el más hermoso muchacho existente y relata cómo

El amable Ea

Ea, el dios babilónico del agua, cuyo nombre significa "Casa del Agua", es posiblemente una de las primeras imágenes de Acuario.

Zeus, se enamoró de él. Convirtiéndose en águila, Zeus tomó al joven para que fuera su camarero, sirviendo vino puro a los dioses en una vasija de oro. Cuando el rey Tros protestó, Zeus le envió como compensación dos caballos de raza, y le explicó que su hijo sería ahora un inmortal.

El símbolo de Ganímedes

Aunque durante la Edad Media Ganímedes se volvió un símbolo de homosexualidad, en el Renacimiento su vuelo hacia los cielos simbolizó el ascenso del alma hacia lo absoluto.

La era de Acuario

La era de Acuario es un mito moderno que se hizo notorio a través del musical Hair de los años '60. Cada 2500 años la Tierra cruza un signo del Zodíaco y estos períodos son conocidos como "eras". La era de Acuario puede haber empezado hace un siglo aunque las opiniones difieren.

ACUARIO
SIMBOLISMO

Ciertas hierbas, especias, flores, árboles, gemas, metales y animales, son asociados con signos del Zodíaco. Algunas de estas asociaciones pueden ser útiles, por ejemplo, en medicina.

Orquídea

Flores

Las flores acuarianas incluyen aquellas regidas por Tauro y Capricornio, como la orquídea y la vara de oro, esta última usada como cura para cortes superficiales.

Vara de oro

SAÚCO

Arboles
La mayoría de los árboles frutales, están regidos por Acuario.

PERAL

Especias
Ninguna especia está especialmente asociada con Acuario, pero la canela y la pimienta son mencionadas a veces.

Hierbas
La mayor parte de las hierbas taurinas están regidas por Acuario, como la acedera común, que ayuda a controlar las inflamaciones, y el saúco.

PIMIENTA

CANELA

SIMBOLISMO

AGUAMARINA

FRAGMENTO
Y COLLAR
DE
AMATISTA

Gemas
La gema acuariana es la amatista, pero muchos astrólogos también sugieren el aguamarina, cuyo color verdeazulado parece atraer a los acuarianos.

TROZOS DE
AMATISTA

ABANICO DE
ALUMINIO

Metal
El aluminio es el metal acuariano, quizás a causa de su maleabilidad.

Animales
Las aves grandes de alto vuelo, especialmente las migratorias, están regidas por Acuario.

PLUMAS DE
ÁGUILA

PLUMAS DE
GANSO

ALBATROS

ACUARIO
PERFIL

DADO QUE LOS ACUARIANOS SON MUY PERSONALES, ES DIFÍCIL GENERALIZAR ACERCA DE ELLOS. SUELEN SER AGRADABLES, Y TIENDEN A SOSTENERSE CUANDO ESTAN DE PIÉ O CAMINANDO.

La postura acuariana usualmente es muy correcta. Pueden usar sus manos en gestos elegantes y sostener su cabeza en alto para mostrar el máximo de su estatura.

El cuerpo

Quizás porque Acuario es un signo de aire, el cuerpo acuariano da una impresión general de liviandad, aun si está en sobrepeso. Los acuarianos son algo alargados, aunque sus huesos suelen estar bastante cubiertos de carne. Tienen un caminar erecto, con paso largo y firme.

Los hombros acuarianos

El rostro acuariano
Con su típicas líneas, puede parecer muy noble.

tienden a ser cuadrados y fornidos y las articulaciones son prominentes. Sus tobillos serán bien formados, elegantes y largos, y sus manos quizás más largas de lo común. Sus rasgos pueden tener una apariencia "cincelada", en oposición a los rasgos más redondeados, por ejemplo, de los librianos y taurinos, ambos regidos por Venus. Difícilmente las curvas hagan parte importante de un cuerpo acuariano. Su imagen será lineal y geométrica.

El rostro

Probablemente el cabello sea delgado, bien cortado y

16

La postura acuariana

Una postura muy correcta y derecha es típica de muchos acuarianos. Parecían poseer cierta divinidad.

uidadosamente estilizado y la
rente sea ancha y abierta. Los
jos acuarianos típicos son
laros y pueden tener párpados
lgo caídos.

Es posible que la nariz sea un
oco grande y prominente; una
oca bien formada, lista para
frecer una sonrisa amigable,
ambién es típica de Acuario.
l mentón puede aportar
ignidad al rostro.

stilo

los acuarianos les gusta estar
la moda, aunque a veces
ueden aferrarse a la imagen
ue decidieron lucir años atrás.
sto es porque los acuarianos se
uelven menos adaptables con
edad. Harán lo posible por
npactar o mostrar su
riginalidad. El turquesa pálido
"azul acuariano" es su color,
las telas livianas con texturas
dosas o satinadas
obablemente les queden
ejor que las más gruesas.
Es muy difícil generalizar
sobre este signo dado que sus
nativos son muy
personales. Usualmente se
sostienen bien, dando cierta
impresión de superioridad o
nobleza. Hay cierta
extravagancia en algunos
acuarianos, que pueden, por
ejemplo, encontrar la manera
de torcer las reglas de un
código de vestimenta.

ACUARIO

PERSONALIDAD

LOS ACUARIANOS SON LOS INDIVIDUALISTAS DEL
ZODÍACO. PUEDEN SER INVENTIVOS Y ÚNICOS PERO
TAMBIÉN TESTARUDOS E IMPREDECIBLES; SON
AMIGABLES, PERO NECESITAN PRIVACIDAD.

L o único en lo que dos acuarianos estarán de acuerdo es en que no comparten ninguna característica de su signo solar. Esto es porque los acuarianos son los individualistas del Zodíaco y a causa de una veta perversa, disfrutarán siendo tan diferentes de sus hermanos de signo como lo son de otra gente. Sin embargo, en verdad comparten ciertas características.

En el trabajo

Su carrera ideal incluirá una buena cantidad de contacto humano. A causa de sus actitudes felices, amables y protectoras, pueden ser excelentes trabajadores sociales. Sin embargo, pueden tomar distancia del sufrimiento y esto ayuda en situaciones difíciles. Una gran cantidad de acuarianos parecen orientarse hacia la ciencia, técnicas de comunicación o en algún otro campo que requiera inventiva y originalidad.

De tanto en tanto, la verdadera brillantez puede emerger en los miembros de este signo y hay que cuidarse de no tratarlos como excéntricos inofensivos.

Sus actitudes

Es muy difícil hablar de "conocer" a un acuariano. Mientras que son amigos solidarios, buenos y amables, está claro que dado que son tan reservados nadie conoce realmente mucho de ellos. Si son cuestionados (lo cual puede parecer elogioso a muchos acuarianos) ellos amable pero firmemente, evitarán dar

Urano rige a Acuario

Urano, una figura mítica no muy atractiva, representa al planeta regente de Acuario. Puede hacer a sus nativos sean originales, versátiles e independientes, pero también perversos y rebeldes.

espuesta y pondrán a los
aquisidores en su lugar. Ocupan
a tiempo libre en una variedad
e formas, quizás la lectura, el
eatro, e incluso formar parte de
n comité de caridad.

isión global

Los acuarianos tienden a mirar
acia adelante cuando son
jóvenes, pero mantenerse algo
rígidos en sus opiniones cuando
entran en edad. Puede ser muy
difícil estimularlos a rever su
punto de vista.

Los acuarianos son inventivos, y
pueden ser muy creativos. La
necesidad de tener un estilo de
vida individual e independiente
puede dar motivación a su vida.

ASPIRACIONES

USTED AMA TRABAJAR CON OTRA GENTE, Y PUEDEN
ATRAERLOS LOS SERVICIOS SOCIALES. TRABAJARÁN BIEN
CON SUS COLEGAS, SIN EMBARGO, NECESITAN HACER
LAS COSAS A SU MANERA.

Ciencia
*Las ramas de la ciencia que permiten
experimentación y expresión de
originalidad son las más gratificantes
para los acuarianos.*

MATERIALES DE
ARTISTA

IMPLEMENTOS
CIENTÍFICOS

Las bellas artes
*Un acuariano puede
producir obras muy
originales e
imaginativas, con algo
de excentricidad.*

INSTRUMENTOS
DE PELUQUERÍA

La industria de la belleza
*La atracción acuariana por
la elegancia puede hacerlas
maravillosos cosmetólogos o
peinadores.*

TRAJE DE TEATRO
ORIENTAL

El teatro
*Muchos acuarianos tienen
desde una edad temprana
condiciones dramáticas,
quizás más pomposas de lo
necesario.*

Educación de la juventud
*Muchos acuarianos
disfrutan de enseñar a los
estudiantes más grandes, y
suelen ser muy populares por
su expresión admirable y algo
excéntrica.*

TIZAS

ACUARIO
SALUD

LOS ACUARIANOS TIENDEN A SUFRIR DE RIGIDEZ EN LAS
ARTICULACIONES, LO QUE HACE ESENCIAL QUE SE
MANTENGAN EN MOVIMIENTO Y QUE TRATEN DE
INMEDIATO   CUALQUIER LESIÓN DEPORTIVA.

Mientras los tobillos son el área tradicional acuariana del cuerpo y ciertamente son vulnerables, otra tradición sugiere que el malestar en las coyunturas puede ser un problema. A la mayoría de los acuarianos les gusta mentenerse activos y esto es beneficioso.

Su dieta
El natrum muriáticum es una sal simple que mejorará su dieta acuariana. Sin embargo, una dieta apropiada contiene todo lo necesario y no debe salar demasiado la comida.

Cuidados
La circulación está regida por Acuario y los que gustan de las bajas temperaturas deben mantenerse abrigados.

Dado que los acuarianos necesitan un estilo de vida único, tienden a enfermarse si algo está en conflicto con esta urgencia. Si se sienten mal sin saber por qué, deben hacer un somero examen de su estilo de vida, porque estos

Manzanas
*Las comidas como las
manzanas y los cítricos
están regidas por Acuario.*

problemas pueden estar
disminuyendo su resistencia.

La Astrología y el cuerpo
Durante muchos siglos no fue
posible practicar medicina sin
conocimientos de astrología.La
formación del médico incluía

aprender cómo las posiciones
planetarias afectaban la
administración de medicinas y
la evolución de los pacientes.

Cada signo del Zodíaco rige
una parte específica del cuerpo,
y los libros de medicina incluían
una ilustración sobre ello.

ACUARIO Y EL
TIEMPO LIBRE

Cada signo solar sugiere tradicionalmente
actividades de tiempo libre. Aunque estos hobbies
y lugares de vacaciones son sólo sugerencias,
suelen funcionar bien y son dignos de probarse.

Arqueología
*Una atracción por el pasado
remoto impulsa a menudo a los
acuarianos a esta profesión, que
combina inspiración con
capacidad práctica.*

Antiguos
artefactos
colombianos

Viaje en globo
*Acuario es un signo de aire
y sus nativos aman el aire
fresco y puro. La idea de
elevarse en un globo puede
ser muy atractiva para ellos.*

Marquillas con
figuras de globos

Autos antiguos
*A muchos acuarianos les atraen
hobbies inusuales, como restaurar
y manejar autos antiguos.*

Modelo Bentley de 1930

ANTIFACES

Arte dramático
*La mayoría de los acuarianos
disfrutan de estar en el centro de
la escena. El teatro es una
actividad popular entre ellos.*

Viajes
*Los acuarianos aman volar en avión;
ansían nuevas experiencias y prefieren
evitar cargas de equipaje.*

ESTAMPILLAS

Astronomía
*Muchos acuarianos son excelentes
astrónomos. La combinación de
la ciencia con los enigmas del
universo es una gran fuente de
inspiración.*

INSTRUMENTOS DE CÁLCULO

ACUARIO Y EL
AMOR

LOS ACUARIANOS SON CONOCIDOS POR SER
ROMÁNTICOS PERO PRECAVIDOS. PUEDEN SER FRÍOS,
ELEGANTES Y ATRACTIVOS. ENAMORARSE ES UNA
EXPERIENCIA SIGNIFICATIVA PARA UN ACUARIANO.

Cuando los acuarianos se enamoran se encuentran más confrontados que cualquier otro signo del Zodíaco con algunos problemas específicos.

Desde muy jóvenes intentarán construir un estilo de vida único y en el cual no desean ser estorbados.

Su necesidad de privacidad y una profunda veta independiente los persuade de vivir la vida a su propia manera.

Ingresar en una relación de pareja implica grandes cambios en la vida de cualquiera; para un acuariano puede significar en gran medida un sacrificio. Por eso muchos de ellos evitan casarse o formar una relación permanente hasta bastante entrados en edad. Muy a menudo esto no es malo, ya que puede prevenir una serie de rupturas y dolores de cabeza.

Como amantes

Si bien disfrutan del amor y el sexo, se inclinan a poner distancia con sus parejas. Por supuesto, querrán que la relación se desarrolle, y disfrutar de un creciente intercambio intelectual y físico, pero también querrán

mantener un alto grado de libertad, aun cuando vivan el amor más apasionado.

que concierne a las relaciones amorosas tendrán una tendencia a ser candorosos. Los que pertenecen a este grupo necesitarán ser precavidos, dado que cualquier error les puede causar mucho daño. La gente de este grupo obtiene gran placer en el amor y el sexo, pero también aprecia la independencia en una relación.

Tipos de amante acuariano

Expresan el amor y el sexo con cálido entusiasmo y pueden ser muy coquetos. Otra posibilidad es que tomen esta esfera de su vida muy seriamente. En este caso, serán fieles y expresarán sus emociones moderadamente. Un tercer grupo de acuarianos se identificará con todos los comentarios generales que se han hecho. No querrán ser presionados por el ser amado a comprometerse antes de estar completamente listos para ello. El cuarto grupo acuariano es sensible, emocional, y protector, y en lo

ACUARIO Y EL
HOGAR

LA INDIVIDUALIDAD ACUARIANA SE PROCLAMARÁ EN SU
HOGAR. SIN EMBARGO, SI LO DECORAN MUY A LA MODA
PUEDE VERSE EXTEMPORÁNEO EN POCOS AÑOS. PUEDE
QUE CREEN ORIGINALES EFECTOS LUMÍNICOS.

La mayoría de los acuarianos son capaces de organizar sus vidas en cualquier ambiente, en la ciudad o en el campo. Aunque su vivienda sea pequeña, harán que se vea espaciosa.

Mobiliario
Los acuarianos necesitan una sensación de espacio, por lo cual probablemente habrá el menor mobiliario posible en su hogar. Las piezas serán a menudo muy modernas en su diseño. Si no son modernas, quizás tengan origen en los años veinte o treinta, cuando la delgadez de las líneas y un mínimo de decoración eran preferidos.

Como Acuario es un signo de aire, la pesadez y la solidez excesiva en el mobiliario no son sus favoritas. Por lo tanto las mesas de vidrio o plegables

Ornamentos únicos
*Quizás cualquier ornamento de un
hogar acuariano sea inusual,
mostrando un interés por el pasado*

probablemente abunden. Sin embargo, es sorprendente cuán confortable puede ser una silla acuariana angular y liviana.

Tapices y cortinas

Aunque estas cosas no abundan usualmente en el hogar acuariano, seguramente agregan un encanto estilo Hollywood. Los acuarianos aman las telas brillantes, como las sedas y tafetas. Cortinas transparentes de red o persianas cerradas sólo cuando el sol molesta, también pueden aparecer.

El blanco es una elección muy común para los empapelados y para los muebles de cuero. A menudo, se combina con cromo brillante en la estructura básica de las mesas y sillas. Generalmente, los acuarianos prefieren motivos con telas lisas.

Objetos decorativos

Probablemente se vean muchos objetos de cristal, como vasos coloreados u otros sofisticados ornamentos de vidrio. Las pinturas probablemente serán abstractas y difícilmente pasarán de moda. Como a los acuarianos a menudo los atrae el pasado remoto, fósiles o antigüedades pueden exhibirse en una colección. Casi todos los acuarianos aman los espejos; tienen la reputación de ser algo vanidosos.

Frutas en cristales
Moderno y elegante son dos palabras que describen el típico hogar acuariano. El cristal de todo tipo es muy frecuente.

LA
LUNA
Y
USTED

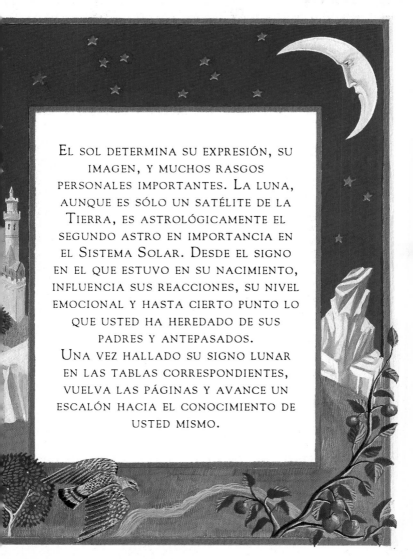

El sol determina su expresión, su imagen, y muchos rasgos personales importantes. La luna, aunque es sólo un satélite de la Tierra, es astrológicamente el segundo astro en importancia en el Sistema Solar. Desde el signo en el que estuvo en su nacimiento, influencia sus reacciones, su nivel emocional y hasta cierto punto lo que usted ha heredado de sus padres y antepasados.

Una vez hallado su signo lunar en las tablas correspondientes, vuelva las páginas y avance un escalón hacia el conocimiento de usted mismo.

ARIES

SU NECESIDAD ACUARIANA DE INDEPENDENCIA ES
REALZADA POR SU LUNA ARIANA. USTED ES CÁLIDO Y
APASIONADO Y EXPRESARÁ SUS EMOCIONES MÁS
LIBREMENTE QUE MUCHOS ACUARIANOS.

Los elementos de Acuario y Aries, aire y fuego, se llevan bien, y usted responde con cálido entusiasmo a las situaciones. Disfruta con los desafíos y siempre querrá estar por delante de sus rivales.

Carácter

Su Sol acuariano le da originalidad y un enfoque despreocupado y avanzado de la vida. Usted no se inhibe por pequeñeces o detalles. Pese a su amabilidad acuariana, usted tiene que cuidar que sus reacciones no turben a los demás. Puede que sea demasiado cortante al exponer la incompetencia de otra persona. Trate de ser tan considerado como competente.

Romance

Usted está entre los acuarianos más fogosos, apasionados y sexuados. Su signo lunar agrega emoción a su personalidad y le da la capacidad de expresarla positivamente.

Acuario y Aries necesitan mucha independencia y libertad de expresión y sus parejas lo reconocerán. Cuando tenga en vista una relación permanente asegúrese de discutir con su pareja profundamente este aspecto de su carácter.

Su bienestar

El área ariana del cuerpo es la cabeza y suele dolerle cuando está sujeto a tensión o a estrés. Esto también puede deberse a un leve desorden renal.

Una Luna ariana siempre tiende a hacernos impacientes e impulsivos, y usted puede ser algo propenso a los accidentes. Si es el caso, trate de desarrollar precaución. Usted disfruta de los

La Luna en Aries

eportes y el ejercicio y debe
·ner un metabolismo rápido.

·royectos

u originalidad y talento bien
ueden ser expresados en sus
npresas; quizás tenga dos fuentes
e ingresos. Usted puede invertir
npulsivamente y ser atraído por
anes inseguros. Mantenga su
ialdad acuariana cuando
vierta y busque consejo
·ofesional.

Paternidad

Usted probablemente sea un
padre activo y su cálido
entusiasmo instintivo puede
aflorar cuando está en
compañía de sus hijos.

Dado que tiene una
visión bastante moderna y
disfruta el contacto
con lo que está en boga,
difícilmente termine siendo
víctima de la brecha
generacional.

LA LUNA EN
TAURO

Su Luna taurina lo hace cálido y afectivo y le da un instintivo sentido de los negocios. Sin embargo, dado que Tauro y Acuario son signos fijos, cuide de no ser testarudo.

Las características de estos dos signos son diferentes y sus reacciones inmediatas pueden desentonar un poco con su actitud general hacia la vida.

Carácter

Su Luna le da estabilidad y una gran necesidad de seguridad emocional y financiera. Mientras que Acuario es conocido por su anticonvencionalismo, Tauro gusta de la tradición y no confía en los cambios.

Su Luna estimulará y ayudará a expresar su originalidad. Es posible que usted tenga algún talento creativo, quizás para la música o el canto y quiera desarrollarlo a modo convencional o tradicional.

Romance

El contraste entre una necesidad de seguridad emocional y una similar de libertad, será muy marcado en sus relaciones personales. Usted vivirá demandas muy contradictorias hacia sus parejas. Tendrá que hacer casi inevitablemente algunos sacrificios, y sus seres queridos tienen que estar pendientes de sus cambiantes necesidades.

Su bienestar

El área taurina del cuerpo es la garganta y probablemente sus resfríos comiencen con un dolor de garganta y terminen con una angina de lenta curación.

La mayoría de la gente con un énfasis taurino disfruta de la comida buena y dulce, y suele ser propensa a ganar peso. Asegúrese de hacer ejercicio regularmente. Tenga en mente también la relación entre su

La luna en Tauro

una taurina y la glándula
iroides. Si, aunque coma
viano, sigue notando aumento
e peso, concurra a un chequeo.

Proyectos

Quizás usted sea muy propenso
gastar dinero y necesite tener
ntradas regulares sufucientes.

Usted tiene un natural
entido de los negocios, y, con
l talento acuariano, puede
acer que un negocio propio
arche muy bien.

Paternidad

Probablemente usted exprese
un cálido afecto hacia sus
hijos, pero puede ser estricto
por momentos, y otras veces
ejercer un estilo más libre de
paternidad. Tenga en mente
que sus hijos necesitan sentirse
seguros respecto de usted.

Acuario lo ayudará a estar a
tono con las ideas de sus hijos.
Sin embargo, su instinto
taurino de no romper con las
reglas le traerá problemas.

LA LUNA EN
GÉMINIS

SU BRILLO Y ORIGINALIDAD ACUARIANOS SE LLEVAN
BIEN CON SU CAPACIDAD COMUNICATIVA GEMINIANA.
NO SE PEGUE DEMASIADO A LA MODA EN CUANTO A SU
VISIÓN DE LAS COSAS, Y NO SUPRIMA SUS EMOCIONES.

Tanto Acuario como Géminis son signos de aire y este elemento enfatiza un enfoque intelectual de la vida. Es muy posible que usted posea ideas distintivas y original.

Carácter
Usted será capaz de aplicar sin dificultades sus variadas cualidades, aunque sus planes no siempre sean fáciles. Puede disfrutar más teorizando que tomando acción práctica.

Probablemente tenga poca resistencia al aburrimiento y su versatilidad inherente lo estimulará a aprender un poco de muchas cosas distintas. Haría mejor en estudiar en profundidad.

Romance
Ni Acuario ni Géminis se destacan por expresar libremente sus emociones y esto puede inhibirlo. Usted necesita siempre un alto nivel de amistad e intercambio intelectual con un ser amado.

Su bienestar
El área geminiana del cuerpo comprende los brazos y manos, que son por lo tanto vulnerables. Además, los acuarianos son algo propensos a la artritis y es una buena idea para usted tener un hobby que mantenga muy activo sus manos y dedos.

El órgano geminiano son los pulmones. Si un resfrío dura más de algunos días, busque consejo médico .

El peor defecto geminiano es l impaciencia, que puede a menud llevar a picos de tensión. Puede ayudar mucho una disciplina relajante como el yoga.

Probablemente usted tenga un metabolismo rápido. Si no, pued

La Luna en Géminis

ecesitar ejercicio regular para
vitar engordar. Además, debe
ratar de mantener su dieta tan
iviana y saludable como sea
osible.

Proyectos

robablemente usted sea capaz de
enderles arena a los árabes, pero
uídese: puede no ser tan
nteligente como cree cuando
nvierte dinero. Busque consejo
rofesional. En lo posible, ingrese
 un sistema de ahorro cuyas

cuotas sean restadas de su salario
directamente.

Paternidad

Usted es un padre tremendamente
activo, desafía las opiniones de
sus hijos y se mantiene al tanto de
ellas. La distancia generacional
nunca será un problema para
usted. A veces puede parecerle a
sus hijos un poco distante.
Recuerde que la lógica es buena,
pero un abrazo cálido es siempre
necesario.

LA LUNA EN
CÁNCER

SU ORIGINALIDAD ACUARIANA TRABAJARÁ BIEN CON LA
INTUICIÓN E IMAGINACIÓN CANCERIANAS. TRATE DE
DOBLEGAR CUALQUIER ACTITUD IMPREDECIBLE O
REPENTINOS CAMBIOS DE ÁNIMO.

Su Sol acuariano y su Luna canceriana le brindan algunas características contrastantes. Estas pueden construirle un carácter único y algo complejo.

Carácter

Usted probablemente esté entre los más individualistas de los acuarianos. Sin duda responde a la mayoría de las situaciones de una forma sensitiva y emocional y es en esto que Cáncer y Acuario se unen más felizmente.

Los acuarianos ofrecen ayuda generosamente, pero son fríos, lógicos y racionales más que emocionales. Su Luna canceriana le permite conmoverse con las penas de los demás.

En un primer encuentro, usted dará una impresión amigable atemperada por un cierto grado de frialdad. A medida que el conocimiento se vaya

transformando en amistad, los demás se darán cuenta de que en muchos sentidos usted puede ser algo blando. Pero nunca pierda la capacidad de dar una respuesta tajante cuando es necesario.

Romance

Usted puede haber experimentado conflictos en las relaciones emocionales. Por un lado, tiene un apego muy grande al hogar y a la familia, y por otro hay una insistencia acuariana para retener su estilo de vida propio e individual.

Usted responde a sus parejas maravillosamente, y es capaz de una vida sexual realmente rica y gratificante. Cuide sin embargo de no crear una sensación de asfixia.

Su bienestar

El área canceriana del cuerpo comprende los pechos y senos.

La Luna en Cáncer

Aunque no hay absolutamente ninguna conexión entre este signo y la enfermedad del mismo nombre, es importante para las mujeres con Luna en Cáncer chequear sus senos regularmente.

Los cancerianos son muy propensos a angustiarse y para colmo a los acuarianos les afectan el estrés y la tensión y usted puede sufrir dolores de cabeza. Aprenda a relajarse.

Proyectos

Usted está entre aquellos acuarianos que se las arreglan muy bien con el dinero, siempre que dé libre expresión a su agudo instinto para los negocios. Trate de invertir en proyectos sólidos.

Paternidad

Como padre protector, se preocupa exageradamente por sus hijos. Al mismo tiempo, su moderno espíritu acuariano los estimula a ser tan independientes como usted. Sea comprensivo cuando decidan que es tiempo de dejar el hogar. Si doblega una tendencia conservadora la distancia generacional no será un problema.

LA LUNA EN
LEO

ACUARIO Y LEO SON SIGNOS POLARES, LO QUE
SIGNIFICA QUE USTED NACIÓ CON LUNA LLENA. EVITE
LA IMPACIENCIA. DEJE QUE LA CREATIVIDAD DE LEO SE
UNA A LA ORIGINALIDAD ACUARIANA.

Todos expresamos algunas
carácterísticas de nuestro
signo polar (el que se opone al
nuestro en el Círculo
Zodiacal). Para los acuarianos
es Leo y como la Luna estaba
en este signo cuando usted
nació, esta polaridad es
fuertemente enfatizada.

Carácter
Usted es un buen organizador,
capaz de captar al momento
cualquier situación. Sin
embargo, debe cuidarse de no
ser autoritario. A veces puede
parecer algo distante. Su
potencial creativo puede ser
expresado a través de la
pintura, la actuación, el diseño
de modas o una disciplina
científica.

Romance
Usted expresará sus
sentimientos con pasión y con
todo el fuego de su Luna de
Leo. Tanto en la cama como
fuera de ella, será una pareja
gratificante. Como todos los
acuarianos, usted necesita un
alto grado de independencia,
pero también querrá cuidar de
su pareja. Cuídese de una
tendencia a dominar a su ser
amado; cualquiera con un
énfasis en Leo puede caer en
esto.

Su bienestar
La polaridad de Leo y Acuario
es más fuerte en los problemas
de salud. Acuario rige la
circulación, la cual se dirige
hacia el corazón, el órgano de
Leo. Las dos influencias se
combinan y requieren especial
atención. Ejercitar su
circulación le hará bien al
corazón, y mantenerse en

La Luna en Leo

movimiento también lo ayudará a evitar la artritis.

Puede ser que usted disfrute de la comida sabrosa, pero mantenerse en movimiento le hará quemar las calorías sobrantes.

Proyectos

Los acuarianos son elegantes, y a los leoninos les gustan las cosas más caras. Para satisfacer estas necesidades usted necesita un salario relativamente alto. Su Luna de Leo puede darle mucho talento para las inversiones, quizás en compañías bien establecidas.

Paternidad

Leo es un signo tradicionalmente relacionado con la paternidad, y usted obtendrá un gran placer de sus hijos, encauzándolos siempre hacia grandes logros. Asegúrese de expresar un cálido entusiasmo, especialmente cuando le muestren sus esfuerzos. Sea racional, mire hacia adelante, y discipline a sus hijos positivamente.

LA LUNA EN
VIRGO

SU LUNA DE VIRGO LE DA EXCELENTES CUALIDADES
TERRENALES. NO PERMITA QUE SENTIMIENTOS
INHIBITORIOS O REPRESIVOS SUPRIMAN
SUS IDEAS ORIGINALES.

Su frío y racional Sol acuariano se combina con el natural sentido común y la lógica de su Luna virginiana. Usted es capaz de observar todos los aspectos de un problema en forma crítica y analítica.

Carácter
Usted es a la vez original y práctico y expresará estas cualidades plenamente. Son una fuente de excelente potencial, quizás para alguna forma de artesanía.

Usted tiende a hilar fino y esto puede hacerle perder de vista el aspecto general de una situación. Sólo cuando prevalezca su Sol acuariano será capaz de ver los problemas en forma global.

Romance
Su modestia puede a menudo obstaculizarlo en lo que hace al amor y al sexo. Sin embargo, si trata de relajarse logrará una vida sexual y amorosa realmente satisfactoria.

Su bienestar
Se dice que el área virginiana del cuerpo comprende el estómago y usted lo beneficiará una dieta alta en fibras.

Como mucha gente con una influencia virginiana, usted puede responder bien al vegetarianismo. Quizás sea algo propenso a angustiarse, y esto puede afectar su salud.

El estrés, la tensión y un cierto grado de impaciencia lo pueden llevar a jaquecas si no aprende a relajarse. Una disciplina como el yoga puede ayudar.

Proyectos
Sin duda a usted lo atrae tanto la elegancia como a todos los

La Luna en Virgo

cuarianos. Sin embargo, si usted e permite una cantidad excesiva e gustos, se sentirá luego muy ulpable. Esto es menos probable i las cosas que usted compra ienen un sentido práctico o, mejor aún, si están hechas de materiales naturales.

Usted puede a veces creer que stá peor financieramente que lo que en realidad está. Aunque por o general es bastante bueno para levar sus asuntos financieros,

sería acertado tomar consejo profesional cuando quiera ahorrar, o invertir.

Paternidad

Usted puede criticar a sus hijos más de lo que se da cuenta. Cuídese, dado que puede perder su confianza.

Su Sol acuariano lo hace capaz de mantenerse a tono con las ideas de sus hijos. Asegúrese de proveerles calidez y afecto.

LA LUNA EN
LIBRA

SU LUNA DE LIBRA LO AYUDA A EXPRESAR SUS
PENSAMIENTOS LIBRE Y ORIGINALMENTE. USTED ES MUY
SOCIABLE, PERO PUEDE NECESITAR UN ENFOQUE MÁS
SERIO Y PRÁCTICO DE LA VIDA.

Tanto Acuario como Libra son signos de aire, por lo tanto se llevan bien. Usted está entre los más amigables, simpáticos, diplomáticos y comprensivos acuarianos.

Carácter

Su Luna de Libra le da el instinto para ver todos los aspectos de un problema y para seguir comprensivamente las argumentaciones de otras personas. Comprensiblemente, esta característica puede a veces hacerlo indeciso. Será mejor desarrollar una actitud más práctica.

Romance

Su Luna de Libra hace brotar el verdadero romance siempre latente en el espíritu acuariano. Usted disfruta preparando el escenario para el amor. Sin embargo, reaccionará ante sus parejas de dos maneras posibles. Puede que se sienta incompleto como persona si no está compartiendo una relación emocional y se precipite hacia una pareja. Por otro lado, puede que a causa de su veta independiente acuariana, usted mantenga su distancia aun cuando asoma una buena oportunidad. Podrá construir una relación amorosa gratificante.

Su bienestar

La región lumbar de la espalda está regida por Libra. Si trabaja sentado, debe procurar conseguir una silla reclinable.

El órgano de Libra son los riñones, y usted puede sufrir de dolores de cabeza como resultado de un desorden renal. Si su metabolismo es lento, es

La Luna en Libra

probable que termine ganando peso, por lo cual sería bueno hacer una dieta sana.

Disfrute de su dinero, pero mantenga un control regular sobre sus gastos.

Proyectos

Probablemente usted ame el lujo y tenga gustos caros. Nunca se tiente a prestar dinero, dado que puede ser víctima de la gente inescrupulosa, y tome consejo profesional antes de iniciar cualquier proyecto de ahorros.

Paternidad

Usted puede consentir a sus hijos para obtener paz y tranquilidad. Esta es una mala idea a largo plazo. Sea decidido y trate de mantenerse firme, para que ellos se sientan seguros. Será capaz de estar a tono con las inquietudes de sus hijos.

LA LUNA EN
ESCORPIO

USTED TIENE UNA PODEROSA FUERZA EMOCIONAL QUE PUEDE CAUSAR PROBLEMAS. CUÍDESE DE LA TESTARUDEZ, Y TRATE DE SER OBJETIVO Y MANTENER UNA MENTALIDAD ABIERTA.

Tanto Acuario como Escorpio son signos fijos, que pueden hacerlo algo testarudo, e incrementar su determinación en la vida. Esto lo ayudará en momentos difíciles o estresantes.

Carácter
Usted es un acuariano típicamente libre e independiente, pero también tiene la intensidad y profundidad de una Luna escorpiana.

Usted sólo será realmente feliz en una carrera que le dé satisfacción psicológica y le haga utilizar sus grandes reservas de energía espiritual y física. Si no la encuentra, puede estancarse.

Romance
Su poderosa fuente de energía emocional es bastante diferente de sus cualidades acuarianas. Más que cualquier acuariano, usted

necesita una vida sexual y amorosa gratificante, y requiere una pareja apasionada que le responda. Teniendo en cuenta su Sol acuariano, usted también necesita sentirse independiente.

El peor defecto de Escorpio son los celos. Su lado acuariano odiará que asome esta emoción negativa.

Su bienestar
El área escorpiana del cuerpo comprende los genitales. Hombres y mujeres deben hacerse exámenes médicos regulares en este área.

A los escorpianos les gusta la buena vida. Son los acaparadores del Zodíaco. Demasiada comida y buenos vinos pueden traer aumento de peso para la gente de este signo. Si esto le ocurre, haga un cambio disciplinado y gradual en sus hábitos de comida, no importa cuán aburrido le resulte

La Luna en Escorpio

acerlo. Teóricamente, usted isfruta de los deportes y el jercicio necesita variedad: eportes acuáticos y karate ueden venirle bien.

royectos
Usted tiene un agudo sentido de os negocios. Esto le será útil, ya ue puede ser que usted gaste su inero muy liberalmente. Cuando nvierta, le hará bien tomar onsejo profesional, pero dígale a

su consejero lo que su instinto le sugiera; puede ser lo correcto.

Paternidad
Usted a veces puede parecer a sus hijos algo arbitrario. Puede ser convencional por momentos y actuar con un enfoque moderno en otros. Trate de que sus hijos se sientan seguros respecto de usted. Si expresa plenamente sus rasgos acuarianos, no tendrá problemas con la distancia generacional.

SAGITARIO

TANTO ACUARIO COMO SAGITARIO NECESITAN ESPACIO E INDEPENDENCIA. DEJE QUE LA CALIDEZ DE SU SIGNO LUNAR DERRITA UN POCO LA FRÍA OBJETIVIDAD DE ACUARIO.

El elemento aire de su Sol acuariano y el elemento fuego de su Luna sagitariana se llevan bien, haciéndolo una persona muy entusiasta y optimista. Usted responde con un sentido de inmediatez cuando es desafiado.

Carácter

Probablemente usted tenga un enfoque positivo de la vida y sea un espíritu libre con gran alcance y amplitud de visión. Sin embargo, puede llevarse muy mal con los detalles que mejor deben ser dejados a otros.

Hay en usted un elemento de eterno estudiante. Probablemente necesite del desafío intelectual para sentirse bien. Aunque usted es versátil, tiene que asegurarse de no extender tanto sus intereses, ya que eso lo puede llevar a perder constancia.

Romance

Usted tiene una maravillosa fuente de emoción y no le será difícil expresar sus sentimientos. Es una pareja muy activa y el amor y el sexo son un deleite. Necesita una pareja que reconozca su poderosa necesidad de independencia, dado que cualquier sensación de asfixia en una relación será fatal para su felicidad.

Su bienestar

El área sagitariana del cuerpo comprende las caderas y muslos. Las mujeres sagitarianas suelen engordar en ese área. Para peor, el órgano sagitariano es el hígado, que puede ser afectado por su gusto

La Luna en Sagitario

or las comidas pesadas. Debe
ratar de alinearse en la más
ípica dieta acuariana de
nsaladas, pescados y aves.
Jsted necesita ejercicio, y
robablemente disfrute con los
eportes.

royectos

Jsted tiene un espíritu algo
speculador y pueden atraerlo
royectos que suenan
ratificantes pero no son
eguros. Tome consejo
rofesional antes de invertir:

usted se equivoca en este
terreno, quizás por ser
demasiado optimista.

Paternidad

Probablemente usted tenga una
visión avanzada y moderna.
Es racional y lógico,
pero capaz de mostrar calidez y
ternura hacia sus hijos,
especialmente cuando se
sienten mal.
Usted estimulará todos sus
esfuerzos y contribuirá mucho a
su educación.

CAPRICORNIO

USTED ES CAPAZ DE ALCANZAR LA CIMA, PERO SU
AMBICIOSA LUNA CAPRICORNIANA PUEDE HACERLO UN
SOLITARIO. PUEDE EXPERIMENTAR CONFLICTOS ENTRE EL
CONVENCIONALISMO Y LA EXCENTRICIDAD.

Antes de que el planeta Urano fuera descubierto en el siglo XVIII, Saturno regía tanto a Acuario como a Capricornio. Hay por lo tanto algunos lazos interesantes entre estos signos, pero también vívidos contrastes.

Carácter

Sus primeras reacciones serán prácticas y cautelosas.

Luego, sin embargo, su personalidad acuariana más extrovertida probablemente tome lugar. De este modo, usted poseerá una base segura desde la cual expresarse.

Capricornio es conocido por ser muy convencional y Acuario por lo contrario y por gustar de impactar a la gente. Tiene que encontrar un equilibrio y tomar lo mejor de ambos instintos.

Romance

Ni Acuario ni Capricornio son signos muy emocionales. Usted puede necesitar relajarse para disfrutar de una vida sexual y afectiva realmente rica.

Su Sol acuariano lo hace atractivo para el sexo opuesto, pero su Luna capricorniana puede ser un factor inhibidor. Antes de iniciar un romance usted puede decirse a sí mismo que es dudoso que haya encontrado la pareja adecuada.

Su bienestar

El área capricorniana del cuerpo comprende los codos y rodillas, que por lo tanto son vulnerables. Es importante para usted mantenerse en movimiento y realizar ejercicios, dado que el énfasis en Capricornio lo hace suceptible al dolor reumático.

La Luna en Capricornio

a piel y los dientes, así como
os huesos, también están
egidos por Capricornio.
  Quizás usted sea algo
elgado, con un metabolismo
ápido, y no tenga problemas
e aumento de peso.

royectos

u intuitiva cautela le dará un
iso firme, previniéndolo de
errochar dinero. Aunque no
ecesite tomar consejo

financiero, usted lo buscará,
aunque sea para confirmar cuán
buenas son sus propias ideas.

Paternidad

Usted parecerá a sus hijos algo
distante y frío, aunque es
amable y amigable. Esfuércese
en tratarlos en forma cálida y
cariñosa cuando se sienten mal.
Mire siempre hacia adelante y
evitará la distancia
generacional.

LA LUNA EN
ACUARIO

TANTO EL SOL COMO LA LUNA ESTABAN EN ACUARIO
CUANDO USTED NACIÓ, ES DECIR QUE NACIÓ CON LUNA
LLENA. ACUARIO ES UN SIGNO DE AIRE Y ESTE
ELEMENTO INFLUENCIA SU PERSONALIDAD Y REACCIONES

Si observa las características de su signo solar, probablemente reconocerá que una gran cantidad de ellas se aplican a usted. En promedio, de unos veinte rasgos de un signo solar, la mayoría de sus nativos se identificarán con once o doce. En su caso, el promedio se incrementa, porque tanto el Sol como la Luna estaban en Acuario el día en que usted nació.

Carácter

Quizás usted esté entre los tipos zodiacales más independientes y autosuficientes. Amistoso y amable casi hasta el cansancio, usted tiene un estilo de vida individual que ha desarrollado con los años y aún puede refinarse más. Necesita espacio psicológico y privacidad. Aun los amigos que verdaderamente lo quieren no lo conocen realmente. Usted no se mete en la vida privada de los demás y espera que los demás no se metan en la suya.

Romance

Su expresión del amor sigue sin duda las descripciones generales hechas en la sección dedicada al tema. Estudie las diferentes formas en que su signo solar expresa el amor y el afecto, ya que sus actitudes en este área son muy variadas.

Usted tiene una atracción casi magnética, pero su reacción instintiva ante sus amantes es dejar que ellos lo admiren a la distancia.

Su bienestar

Dado que tanto el Sol como la Luna estaban en Acuario cuando usted nació, sus

La Luna en Acuario

obillos (el área acuariana del
uerpo) son perticularmente
ulnerables. Existe también la
osibilidad de que su
irculación no sea muy buena.

Durante las bajas
emperaturas debe mantenerse
brigado. Además, debe cuidar
u columna y su espalda
specialmente.

Proyectos
Usted expresará originalidad y
alento en el trato con las
inanzas. Estos rasgos no son

necesariamente efectivos
cuando se trata de incrementar
el saldo bancario.

Paternidad
Aunque usted experimenta
pocos problemas con la
distancia generacional, puede
que no sea lo suficientemente
cálido hacia sus hijos.
Esto puede hacer que se
sientan un poco inseguros.
Recuerde que ellos pueden
necesitar una disciplina
más estricta.

TANTO ACUARIO COMO PISCIS ESTIMULAN EL TRABAJO
HUMANITARIO. SU INSTINTO DE AYUDAR
A LOS DEMÁS ES MUY PODEROSO, PERO NO
LO DEJE GOBERNAR A SU OBJETIVIDAD ACUARIANA.

L as cualidades atribuidas a estos dos signos son muy diferentes y lo hacen una persona multifacética. Contrariamente a su signo solar, la influencia de su Luna de Piscis le da una poderosa emoción que brota en una variedad de formas.

Carácter
Debido a su Sol acuariano, usted es extremadamente amable, amistoso y solidario. Sin embargo, dado que Acuario es humanitario y Piscis caritativo, usted puede a veces hacer considerables sacrificios para ayudar a los necesitados.

Romance
Usted es más sensual y expresivo en el amor y el sexo que muchos acuarianos. Sin duda se enamora y desenamora muy fácilmente, dado que no es difícil para usted

identificarse con esa veta romántica que subyace en las profundidades de la personalidad acuariana. Sin embargo usted necesita de independencia en sus relaciones. Requiere una pareja fuerte que lo estimule en sus esfuerzos y lo ayude a desarrollar confianza en sí mismo.

La falsedad es el peor defecto de Piscis. No sucumba a ella, especialmente si cree que le dará una salida fácil a una situación complicada.

Su bienestar
El área pisciana del cuerpo comprende los pies y los suyos serán por lo tanto vulnerables a las heridas. Las sandalias le resultarán cómodas. Los piscianos tienden a aumentar de peso más que los acuarianos, y usted puede inclinarse a las comidas pesadas, lo cual puede ser desastroso para

La Luna en Piscis

su salud y su figura. Usted disfrutará formas inusuales de ejercicio y deporte, las danzas modernas, el patinaje sobre hielo y la natación.

Proyectos
El dinero probablemente se escape de entre sus dedos. Puede ser que usted dé mucho de lo que puede, lo cual es muy noble, pero ocasionará problemas cuando no pueda afrontar sus gastos. Si tiene un trabajo estable busque una forma de ahorro cuyas cuotas sean retenidas de su salario. Si no,

busque siempre consejo profesional.

Paternidad
Usted será un padre racional, sensible y protector, pero debe tratar de doblegar la impredecibilidad acuariana, ya que los cambios súbitos de opinión y estado de ánimo no les hacen bien a los niños. Usted siempre estará listo para darles un abrazo a sus hijos cuando las cosas van mal, y no tendrá problemas con la distancia generacional.

CARTAS LUNARES

LAS SIGUIENTES CARTAS LE PERMITIRÁN DESCUBRIR SU
SIGNO LUNAR. EN LAS PÁGINAS PRECEDENTES PODRÁ
INVESTIGAR SUS CUALIDADES.

Para encontrar su carta lunar, observe el año de su nacimiento y el símbolo zodiacal para su mes natal, en las tablas siguientes. Vaya luego a la tabla lunar (*abajo a la izquierda*) y observe que los días del mes están enfrentados cada uno a un número. El que corresponde al día del mes en que usted nació, indica cuántos símbolos zodiacales (*abajo a la derecha*) deben ser contados para

obtener su signo lunar. Tiene que contar hacia Piscis y volver a Aries. Por ejemplo: dada la fecha de nacimiento 21 de mayo de 1991, usted necesita encontrar inicialmente el signo lunar para el primer día de mayo de ese año. Es Sagitario ($\nearrow$). Como la fecha de nacimiento es el 21, nueve signos deben ser agregados. El signo lunar para esta fecha de nacimiento es, por lo tanto, Virgo ($\mathfrak{M}$).

TABLA LUNAR

DÍAS DEL MES Y NÚMERO DE SIGNOS QUE DEBE AGREGAR

DIA	AGR	DIA	AGR	DIA	AGR	DIA	AGR
1	0	9	4	17	7	25	11
2	1	10	4	18	8	26	11
3	1	11	5	19	8	27	12
4	1	12	5	20	9	28	12
5	2	13	6	21	9	29	1
6	2	14	6	22	10	30	1
7	3	15	6	23	10	31	2
8	3	16	7	24	10		

SÍMBOLOS

Υ	Aries
$\Ox$	Tauro
Π	Géminis
$\mathfrak{S}$	Cáncer
Ω	Leo
$\mathfrak{M}$	Virgo
$\triangleq$	Libra
$\mathfrak{M}$	Escorpio
$\nearrow$	Sagitario
$\mathcal{V}\mathcal{S}$	Capricornio
$\approx$	Acuario
$\mathcal{H}$	Piscis

	1923	1924	1925	1926	1927	1928	1929	1930	1931	1932	1933	1934	1935
ENE	♊	♏	♈	♌	♐	♈	♍	♑	♉	♎	♓	♋	♏
FEB	♌	♐	♉	♍	♑	♊	♏	♓	♋	♐	♈	♌	♑
MAR	♌	♑	♉	♍	♒	♋	♏	♓	♋	♐	♉	♍	♑
ABR	♎	♓	♋	♏	♈	♍	♑	♉	♍	♒	♊	♎	♓
MAY	♏	♈	♌	♐	♉	♎	♒	♊	♎	♓	♋	♐	♈
JUN	♑	♉	♍	♒	♋	♏	♓	♌	♐	♉	♍	♑	♊
JUL	♒	♋	♏	♓	♌	♐	♈	♍	♑	♊	♎	♓	♋
AGO	♈	♌	♐	♉	♍	♒	♊	♏	♓	♋	♐	♈	♌
SET	♉	♎	♒	♋	♏	♓	♌	♐	♈	♍	♑	♊	♎
OCT	♊	♏	♓	♌	♐	♉	♍	♑	♉	♎	♓	♋	♏
NOV	♌	♑	♉	♍	♑	♊	♏	♓	♋	♐	♈	♌	♑
DIC	♍	♒	♊	♎	♓	♌	♐	♈	♌	♑	♉	♍	♒

	1936	1937	1938	1939	1940	1941	1942	1943	1944	1945	1946	1947	1948
ENE	♈	♌	♑	♉	♍	♒	♊	♎	♓	♌	♐	♈	♍
FEB	♉	♎	♒	♊	♏	♈	♌	♐	♉	♍	♑	♊	♎
MAR	♊	♎	♒	♋	♐	♈	♌	♐	♉	♎	♒	♊	♏
ABR	♌	♐	♈	♌	♑	♉	♎	♒	♋	♏	♓	♌	♑
MAY	♍	♑	♉	♎	♒	♊	♏	♓	♌	♐	♉	♍	♒
JUN	♎	♒	♋	♏	♈	♌	♑	♉	♎	♒	♊	♏	♓
JUL	♏	♈	♌	♑	♉	♍	♒	♊	♏	♓	♌	♐	♈
AGO	♑	♉	♎	♒	♋	♏	♈	♌	♐	♉	♍	♑	♊
SET	♓	♋	♏	♈	♌	♑	♉	♍	♒	♋	♏	♓	♌
OCT	♈	♌	♑	♉	♎	♒	♊	♎	♓	♌	♐	♈	♍
NOV	♊	♎	♒	♊	♏	♈	♌	♐	♉	♍	♑	♊	♏
DIC	♋	♏	♓	♌	♑	♉	♍	♑	♊	♎	♒	♋	♐

	1949	1950	1951	1952	1953	1954	1955	1956	1957	1958	1959	1960	1961
Ene	♑	♊	♎	♓	♋	♏	♈	♌	♑	♉	♍	♒	♋
Feb	♓	♋	♐	♈	♍	♑	♉	♎	♒	♊	♏	♈	♌
Mar	♓	♋	♐	♉	♍	♑	♊	♏	♓	♋	♏	♈	♌
Abr	♉	♍	♒	♊	♎	♓	♋	♐	♈	♌	♑	♊	♎
May	♊	♎	♓	♋	♐	♈	♍	♑	♉	♎	♒	♋	♏
Jun	♌	♐	♈	♍	♑	♊	♎	♓	♋	♐	♈	♌	♑
Jul	♍	♑	♊	♎	♓	♋	♏	♈	♌	♑	♉	♍	♒
Ago	♏	♓	♋	♐	♈	♍	♑	♉	♎	♒	♊	♏	♈
Set	♐	♈	♍	♑	♊	♎	♒	♋	♐	♈	♌	♑	♊
Oct	♑	♊	♎	♓	♋	♏	♓	♌	♑	♉	♍	♒	♋
Nov	♓	♋	♏	♈	♍	♑	♉	♎	♒	♊	♏	♈	♌
Dic	♈	♌	♑	♊	♎	♒	♊	♏	♓	♌	♐	♉	♍

	1962	1963	1964	1965	1966	1967	1968	1969	1970	1971	1972	1973	1974
Ene	♏	♓	♌	♐	♈	♍	♑	♊	♎	♒	♋	♐	♈
Feb	♐	♉	♍	♒	♊	♏	♓	♋	♏	♈	♍	♑	♉
Mar	♐	♉	♎	♒	♊	♏	♈	♌	♐	♉	♍	♑	♊
Abr	♒	♋	♏	♈	♌	♑	♉	♍	♒	♊	♏	♓	♋
May	♓	♌	♐	♉	♍	♒	♊	♎	♓	♋	♐	♈	♍
Jun	♉	♎	♒	♊	♏	♓	♌	♐	♉	♍	♑	♊	♎
Jul	♊	♏	♓	♌	♐	♈	♍	♑	♊	♎	♓	♋	♐
Ago	♌	♐	♉	♎	♒	♊	♏	♓	♋	♏	♈	♍	♑
Set	♍	♒	♋	♏	♓	♋	♐	♉	♍	♑	♊	♎	♓
Oct	♏	♓	♌	♐	♈	♍	♒	♊	♎	♒	♋	♐	♈
Nov	♐	♉	♎	♒	♊	♎	♓	♋	♐	♈	♍	♑	♉
Dic	♑	♊	♏	♓	♋	♐	♈	♌	♑	♉	♎	♒	♊

	1975	1976	1977	1978	1979	1980	1981	1982	1983	1984	1985	1986	1987
Ene	♌	♑	♉	♍	♒	♊	♏	♓	♌	♐	♉	♍	♑
Feb	♎	♒	♋	♏	♈	♌	♐	♉	♍	♒	♊	♎	♓
Mar	♎	♓	♋	♏	♈	♍	♑	♉	♎	♒	♊	♏	♓
Abr	♐	♈	♍	♑	♊	♎	♒	♋	♏	♈	♌	♑	♉
May	♑	♉	♎	♒	♋	♏	♓	♌	♐	♉	♍	♒	♊
Jun	♓	♋	♐	♈	♌	♑	♉	♎	♒	♊	♏	♓	♌
Jul	♈	♌	♑	♉	♍	♒	♋	♏	♓	♌	♐	♉	♍
Ago	♉	♎	♓	♋	♏	♈	♌	♐	♈	♎	♒	♊	♎
Set	♋	♐	♈	♌	♐	♊	♎	♒	♊	♏	♓	♌	♐
Oct	♌	♑	♉	♍	♒	♋	♏	♓	♋	♐	♉	♍	♑
Nov	♎	♓	♋	♏	♓	♌	♐	♉	♍	♒	♊	♎	♓
Dic	♏	♈	♌	♐	♉	♍	♑	♊	♎	♓	♋	♐	♈

	1988	1989	1990	1991	1992	1993	1994	1995	1996	1997	1998	1999	2000
Ene	♊	♎	♒	♋	♏	♈	♌	♑	♉	♎	♒	♊	♏
Feb	♋	♐	♈	♍	♑	♉	♎	♒	♋	♏	♈	♌	♐
Mar	♌	♐	♉	♍	♒	♊	♎	♓	♋	♏	♈	♌	♑
Abr	♍	♒	♊	♏	♓	♋	♐	♈	♍	♑	♊	♎	♓
May	♏	♓	♌	♐	♈	♍	♑	♉	♎	♒	♋	♏	♈
Jun	♐	♉	♍	♑	♊	♎	♓	♋	♐	♈	♌	♑	♉
Jul	♑	♊	♎	♒	♋	♐	♈	♌	♑	♉	♎	♒	♋
Ago	♓	♌	♐	♈	♍	♑	♉	♎	♓	♋	♏	♓	♌
Set	♉	♍	♑	♊	♏	♓	♋	♏	♈	♌	♑	♉	♎
Oct	♊	♎	♒	♋	♐	♈	♌	♑	♉	♎	♒	♊	♏
Nov	♌	♐	♈	♍	♑	♉	♎	♒	♋	♏	♈	♌	♑
Dic	♍	♑	♉	♎	♒	♋	♏	♈	♌	♐	♉	♍	♒

EL
SISTEMA SOLAR

LAS ESTRELLAS, SALVO EL SOL, NO TOMAN PARTE DE LA
CIENCIA DE LA ASTROLOGÍA. SÓLO LOS CUERPOS DEL
SISTEMA SOLAR, EXCLUYENDO LA TIERRA, PARA CALCULAR
CÓMO NUESTRAS VIDAS Y PERSONALIDADES CAMBIAN.

Plutón
Tarda 246 años en girar alrededor
del Sol. Afecta nuestros instintos
inconscientes y urgencias, nos da
fuerzas en las dificultades y, quizás,
enfatiza una inherente veta de
crueldad.

Neptuno
Permanece en cada signo durante
14 años. Nos hace sensibles e
imaginativos, pero también
estimula nuestro descuido y
dejadez.

Urano
Su influencia puede hacernos
amigables, excéntricos, ingeniosos
e impredecibles.

Saturno
En tiempos antiguos, era el planeta
más distante conocido. Su influencia
puede limitar nuestra ambición y
hacernos cautelosos (pero prácticos),
o confiables y disciplinados.

PLUTÓN

NEPTUNO

URANO

SATURNO

Júpiter

Estimula la expansión, el optimismo, la generosidad y la agudeza de visión. Puede también, hacernos derrochones, extravagantes y consentidos.

Marte

Muy asociado con energía, enojo, violencia, egoísmo, y una fuerte sexualidad, Marte estimula la decisión y el liderazgo.

JÚPITER

MARTE

La Luna

Aunque es un satélite de la Tierra, es considerada en astrología como un planeta. Dista 240.000 millas de la Tierra y, astrológicamente, sigue al Sol en importancia.

MERCURIO

LA LUNA

VENUS

TIERRA

El Sol

Influencia el modo en que nos presentamos al mundo, nuestra imagen, el "yo" que mostramos a los demás.

Venus

El planeta del amor y la pareja, puede enfatizar nuestras mejores cualidades, o inclinarnos a ser lánguidos, imprácticos y muy dependientes de los demás.

Tierra

Todos los planetas contribuyen al funcionamiento del Sistema Solar; una persona nacida en Venus sería influenciada por nuestro planeta.

Mercurio

El planeta más cercano al sol, afecta nuestro intelecto. Puede hacernos inquisitivos, versátiles, perceptivos, pero también inconsistentes, cínicos y sarcásticos.